D1237093

la casa

Diseño: Paco Roca / Alba Diethelm
Maquetación: Alba Diethelm

ISBN: 978-84-16251-00-1
Depósito legal: BI-575-21
Impresión: Grafo
1.ª edición: diciembre 2015
2.ª edición: enero 2016
3.ª edición: mayo 2016
4.ª edición: abril 2017
5.ª edición: noviembre 2018
6.ª edición: octubre 2020
7.ª edición: mayo 2021

Astiberri Ediciones
Apdo. 485
48080 Bilbao
info@astiberri.com
www.astiberri.com

PEFC Certificado
Este producto procede
de bosques gestionados
de forma sostenible
y fuentes controladas
www.pefc.org

PEFC
PEFC/14-33-00010

la casa

Paco Roca

ASTIBERRI

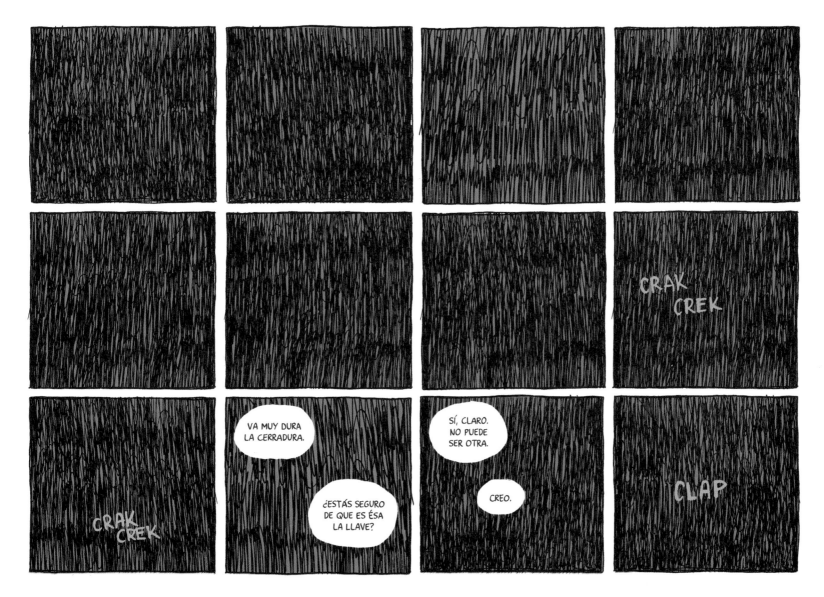

AHORA NO SALE LA LLAVE.

¡UF!

CÓMO HUELE A HUMEDAD.

NORMAL.

LA CASA LLEVA CERRADA UN AÑO.

HAY QUE LEVANTAR LAS PERSIANAS PARA QUE SE AIREE.

N-NO PUEDO SACAR LAS LLAVES. PRUEBA TÚ...

NADA, NO HAY MANERA.

ESTA PERSIANA ESTÁ ROTA.

CRAK
CREK

...ESTO FRÍO NO VALE NADA.

¿QUÉ HACE PAPÁ QUE NO VIENE?

LA NIÑA TIENE QUE COMER YA.

¿QUIÉN VA A TOMAR VINO?

NO SÉ QUÉ ESTÁ ARREGLANDO EN EL CUARTO DE BAÑO.

TODOS AQUÍ ESPERANDO Y ÉL, COMO SIEMPRE, A LA SUYA.

¿ERES SILVIA, VERDAD?

¿TOMAS VINO?

SÍ, GRACIAS.

¿TODO BIEN?

ME ESTOY EMBORRACHANDO PARA HACER MÁS LLEVADERA MI PRIMERA COMIDA CON TU FAMILIA.

SON CASI LAS CUATRO Y AÚN NO HEMOS COMIDO. YA NO LLEGAMOS A LA SESIÓN DE LAS OCHO.

RELÁJATE.

YA, PERO YO QUERÍA IR AL CINE ANTES DE ENCERRARME A ESCRIBIR. TENGO QUE ENTREGAR LA NOVELA ANTES DE NOVIEMBRE.

ES EL CUMPLEAÑOS DE TU PADRE. VAMOS...

¿POR QUÉ NO HEMOS COMIDO DENTRO? LA NIÑA TIENE FRÍO.

COSAS DE PAPÁ Y SUS MANÍAS DE COMER SIEMPRE AQUÍ.

¿ALGUIEN PUEDE IR A VER QUÉ HACE?

JOSÉ, VEN A VER ESTO.

YA SÉ DE DÓNDE VIENE EL OLOR A HUMEDAD.

SALE AGUA DE AHÍ.

LA CISTERNA.

MI PADRE QUERÍA ARREGLARLA.

PERO SE QUEDÓ A LA MITAD.

¿POR QUÉ NO VAS A DESCARGAR EL COCHE MIENTRAS YO SECO ESTO?

SILVIA, ¿QUÉ LLEVAS AQUÍ QUE PESA TANTO?

¿TODO ESTO PARA PASAR UN FIN DE SEMANA?

TOC

TOC

HAY QUE JODERSE.

¿QUÉ SE TE HA CAÍDO?

¿SABES CON QUÉ CUBRÍA MI PADRE LOS RACIMOS DE UVA PARA QUE NO SE LOS COMIERAN LOS PÁJAROS?

CON LOS RECORTES DE PRENSA QUE HABLABAN DE MÍ: DE LA SERIE EN LA QUE TRABAJABA, LAS RESEÑAS DE MI NOVELA...

SERÁS EGOCÉNTRICO. ¿PARA QUÉ GUARDABAS ESO?

MI PADRE NO LEÍA LA PRENSA. YO LE GUARDABA ESOS RECORTES PARA QUE VIERA LO QUE HAGO Y SUPIESE QUE ME IBAN BIEN LAS COSAS.

TU PADRE PENSARÍA QUE ESOS PAPELES ERAN MÁS ÚTILES ASÍ.

ESTOY SEGURO DE QUE NO SE LEYÓ NI UNA SOLA RESEÑA.

...YO TENGO UN TRABAJO DE MANUALIDADES IGUAL QUE ÉSE.

ERA EL TÍPICO REGALO DEL DÍA DE LA MADRE.

Y ESA ENCICLOPEDIA LA COMPRAMOS A PLAZOS. CADA VEZ QUE LLEGABA UN TOMO NUEVO NOS REUNÍAMOS TODA LA FAMILIA PARA OJEARLO.

LAS ESPADAS LAS COMPRAMOS EN UN VIAJE A TOLEDO, CUANDO NOS COMPRAMOS EL COCHE NUEVO.

CREO QUE FUE LA ÚLTIMA VEZ QUE HICIMOS UN VIAJE. ACABABA DE NACER MI HERMANA CARLA.

DESDE QUE CONSTRUIMOS ESTA CASA, YA SIEMPRE QUE TENÍAMOS VACACIONES VENÍAMOS AQUÍ.

TODO LO QUE HAY EN LA CASA HA IDO LLEGANDO CON EL TIEMPO, SEGÚN REMODELÁBAMOS EL PISO DONDE VIVÍAMOS.

AQUÍ HAN IDO A PARAR TODOS LOS TRASTOS VIEJOS QUE MIS PADRES YA NO USABAN Y TAMBIÉN LAS COSAS QUE NI MIS HERMANOS NI YO QUERÍAMOS.

ESE RELOJ DE AHÍ ME LO REGALÓ UNA EXNOVIA. COMO HACÍA MUCHO RUIDO ACABÓ AQUÍ.

¿HAS TENIDO UNA NOVIA CON TAN MAL GUSTO? MENOS MAL QUE ME HAS CONOCIDO A MÍ.

SI VINIESE UNO DE ESOS PROGRAMAS TIPO "QUIÉN VIVE AQUÍ", SALDRÍAN ESPANTADOS. NO LLEGARÍAN A SABER QUÉ CRITERIO ESTÉTICO TIENEN LOS DUEÑOS DE LA CASA.

LA DECORACIÓN DE LA CASA ES COMO UN VIAJE EN EL TIEMPO. MIRA, ÉSE ES EL APARADOR DE LOS TROFEOS FAMILIARES: LOS TROFEOS DE JUDO Y DE ATLETISMO DE MI HERMANA CARLA...

¿VES ESE DE AHÍ?

FUE LA PRIMERA VEZ QUE ME PRESENTÉ A UN CONCURSO DE ESCRITURA.

¿GANASTE?

QUEDÉ EL TERCERO. ME DIERON DIEZ BOTELLAS DE LECHE Y ESE TROFEO.

"LECHE CERVERA..."

"...ALEGRA LA VIDA ENTERA".

...YO HE TRABAJADO MUCHOS AÑOS EN UNA IMPORTANTE AGENCIA DE PUBLICIDAD.

HAZME CASO, QUE DE ESTO SÉ.

LECHE CERVERA ALEGRA LA VIDA ENTERA.

UN BUEN PAREADO ES UN ÉXITO ASEGURADO. LAS GRANDES CAMPAÑAS TIENEN ESLÓGANES QUE RIMAN.

SI METES EN TU REDACCIÓN UN BUEN PAREADO, AL PATROCINADOR DEL CONCURSO YA LO TIENES GANADO.

EN ESE MOMENTO, AQUEL PAREADO ME PARECÍA LO MEJOR QUE HABÍA ESCUCHADO NUNCA; A LA ALTURA DE NERUDA O BAUDELAIRE.

POR SUERTE, EL JURADO ERA TAN POCO EXIGENTE COMO YO.

¿TU PADRE HABÍA SIDO PUBLICISTA?

MÁS O MENOS.

CONTABA QUE HABÍA TRABAJADO MUCHOS AÑOS EN UNA IMPORTANTE AGENCIA DE PUBLICIDAD.

CUANDO LE DIJE QUE QUERÍA SER ESCRITOR INSISTÍA EN PRESENTARME A LA GENTE DE LA AGENCIA, ME DABA CONSEJOS...

SU REGLA DE ORO ERA RIMARLO TODO.

...ME ENCARGABA DE LLEVAR LOS ANUNCIOS A LOS PERIÓDICOS.

ME HABÍAN DADO UN CARNÉ FALSO Y CON DIECISÉIS AÑOS CONDUCÍA EL COCHE DE LA AGENCIA.

ME ENCARGABA DE LOS RECADOS, AUNQUE TAMBIÉN LE LIMPIABA LA MESA AL JEFE.

DECÍA QUE SE LA DEJABA MEJOR QUE LA MUJER DE LA LIMPIEZA.

LA VERDAD ES QUE EN ESA FOTO DE AHÍ TIENE UN AIRE A DON DRAPER.

¡MMMM!

¿QUÉ?

¿LO DICES EN SERIO?

QUÉ LE VOY A HACER... VEO DEMASIADAS SERIES DE TELEVISIÓN.

EL CASO ES QUE, CON EL TIEMPO, ME ENTERÉ DE CUÁL ERA SU PUESTO EN LA GRAN INDUSTRIA DE LA PUBLICIDAD.

SEGURAMENTE ÉL QUERÍA SERLE ÚTIL A SU HIJO ESCRITOR.

CREO QUE NUNCA LLEGÓ A SABER EN QUÉ CONSISTÍA MI TRABAJO.

YA VES LO QUE HA HECHO CON ESOS RECORTES DE PRENSA QUE YO LE GUARDABA.

¿Y QUÉ HARÉIS CON TODAS ESTAS COSAS QUE HAY EN LA CASA?

NO LO HABÍA PENSADO...

IMAGINO QUE TIRARLO TODO.

20

...QUÉ RARO.

¿QUÉ PASA?

EL SECADOR. NO FUNCIONA.

AYER LO USÉ EN CASA Y FUNCIONABA PERFEC-TAMENTE.

NO SÉ...

LA TECNOLOGÍA ES SIEMPRE IMPREVISIBLE. SE LO DAREMOS A MI HERMANO CUANDO VENGA.

ÉL ES COMO MI PADRE: ENTIENDE DE ESTAS COSAS.

¡QUÉ DESASTRE ERES!

ESTOY TIRANDO LA ROPA DE TU PADRE. IGUAL HAY ALGO QUE TE PUEDA SERVIR.

CHOF CHOF

Y OTRA MÁS...

24

BLOF

¡SU PUTA MADRE!

ESO NO SE TIRA AHÍ.

¿C-CÓMO?

LA PODA.

NO SE TIRA AL CONTENEDOR PORQUE, SI NO, YA NO CABE NADA MÁS.

NO LO SABÍA. ¿DÓNDE SE ECHA?

¿ERES EL HIJO DE ANTONIO?

SOY JOSÉ, EL MEDIANO.

TÚ ERES MANOLO, ¿NO?

ME ENTERÉ DE LO DE TU PADRE.

LO SIENTO MUCHO.

GRACIAS.

LE LLAMÉ UN DÍA, DESPUÉS DE LA OPERACIÓN. SE LE NOTABA DÉBIL AÚN, PERO PARECÍA ANIMADO.

SALIÓ MUY BIEN DE LA OPERACIÓN, AL POCO TIEMPO YA PRESUMÍA DE PODER ANDAR SIN LAS MULETAS.

ME DIJO QUE, EN CUANTO VOLVIERA POR AQUÍ, TENÍA QUE AYUDARLE CON UN MURO QUE SE LE HABÍA CAÍDO.

PERO DE PRONTO ENTRÓ EN UNA ESPECIE DE DEPRESIÓN, EMPEORÓ Y TODO FUE YA MUY RÁPIDO.

YO LO APRECIABA MUCHO.

ENTONCES, ¿QUÉ HAGO CON ESTO?

LA PODA LA RECOGEN LOS MARTES.

TIENES QUE DEJAR LAS BOLSAS ALLÍ, JUNTO A LA FAROLA.

AH, VALE.

¿ESTÁIS PONIENDO LA CASA EN ORDEN?

MÁS O MENOS.

AQUÍ EN CUANTO PASA MARZO Y ALARGA EL DÍA SE ESTÁ MUY BIEN. BUENO, YA LO SABES.

NO LA ESTAMOS ARREGLANDO PARA VENIR.

VAMOS A VENDERLA.

VAYA...

AUNQUE YA VEREMOS SI LO CONSEGUIMOS. AHORA LA COSA ESTÁ COMPLICADA.

ALLÍ ABAJO SE VENDE UNA DESDE HACE MÁS DE UN AÑO Y NADA.

POR ESO... ENTRE MIS HERMANOS Y YO QUEREMOS ARREGLARLA UN POCO.

A VER SI LE QUITAMOS ESE ASPECTO DE ABANDONO QUE TIENE Y LE ENCONTRAMOS UN COMPRADOR.

ES UNA LÁSTIMA... TU PADRE LO TENÍA TODO TAN BIEN CUIDADO.

SI PUEDO AYUDAR EN ALGO...

LA VERDAD ES QUE, MAÑANA, DOMINGO, QUERÍA PODAR ALGUNOS ÁRBOLES, PERO NO ME ATREVO.

ME DA MIEDO CORTAR DE MÁS Y DEJARLOS COMO UN BONSÁI.

CLARO, CUENTA CONMIGO.

AVÍSAME CUANDO VAYAS A HACERLO.

MMM... QUÉ BIEN HUELE EL JAZMÍN.

QUÉ BUENA NOCHE HACE.

ÉSTA ES LA PRIMERA VEZ QUE ESTOY AQUÍ TUMBADO SIN HACER NADA.

MI PADRE SIEMPRE NOS ESTABA LLAMANDO PARA HACER ALGO.

A ÉL NO LE GUSTABA ESTAR OCIOSO.

PARA MÍ, VENIR A LA CASA ERA COMO ENTRAR EN UN CAMPO DE TRABAJOS FORZADOS.

TENGO LA SENSACIÓN DE QUE EN CUALQUIER MOMENTO MI PADRE VA A LLAMARME PARA QUE ME LEVANTE Y LE AYUDE CON ALGO.

FFFFF FFFFF FFFFF FF

ES CURIOSO, CUANDO PIENSO EN ÉL SÓLO PUEDO RECORDARLO COMO ESTABA EN ESE ÚLTIMO MES: DEPRIMIDO Y SENTADO EN EL SOFÁ, SIN GANAS DE NADA.

PERO ÉSE YA NO ERA ÉL. TU PADRE NO SE PODÍA ESTAR QUIETO NI EN LAS FOTOS. SIEMPRE SALÍA MOVIDO.

POR ESO NO LO ENTIENDO. ÉL ERA UN LUCHADOR.

SE ESTABA RECUPERANDO, DEJÓ LAS MULETAS, ESTABA ANIMADO...

ES COMO SI, LLEGADO UN MOMENTO, SE HUBIERA DEJADO MORIR.

QUIZÁ SE CANSÓ DE LUCHAR.

CON LAS ALMENDRAS HACÍA TURRÓN.

¿Y EL NUESTRO DARÁ ALMENDRAS?

CLARO.

PERO ANTES SE LLENARÁ DE FLORES BLANCAS. YA VERÉIS QUÉ BONITO.

¿Y HAREMOS TURRÓN? TURRÓN DE CHOCOLATE.

¡JA, JA, JA! NO.

PERO NOS PONDREMOS MORADOS DE COMER ALMENDRAS.

EN LA FINCA DE MI JEFE, LAS COMIDAS FAMILIARES LAS HACÍAN A LA SOMBRA DE UNA PÉRGOLA.

¿QUÉ ES UNA PÉRGOLA?

UNA ESTRUCTURA DE MADERA EN LA QUE SE PUEDE ENREDAR UNA PARRA PARA HACER SOMBRA.

VICENTE, VE A DAR EL AGUA.

LAS PÉRGOLAS SON ALGO MUY ELEGANTE. DAN PRESTIGIO A UNA CASA.

NOSOTROS TENDREMOS UNA. LA CONSTRUIREMOS AHÍ, EN LA PARTE DELANTERA DE LA CASA.

COMEREMOS TODA LA FAMILIA JUNTA, BAJO NUESTRA PÉRGOLA, COMO HACÍA MI JEFE.

MI PADRE TUVO UNA DECENA DE TRABAJOS DIFERENTES. NO COMO YO.

EN ESO ES IGUAL QUE MI ABUELO.

PERO, CURIOSAMENTE, SIEMPRE ESTABAN RELACIONADOS CON LOS COCHES.

DE LOS DIECISÉIS A LOS VEINTIDÓS, CONDUJO EL AUTOMÓVIL DE LA AGENCIA DE PUBLICIDAD.

CUANDO HIZO EL SERVICIO MILITAR ERA EL CONDUCTOR DEL JEEP DE LA COMPAÑÍA. DECÍA QUE ERA UN JEEP AMERICANO QUE LLEGÓ A ESPAÑA AUN A PESAR DEL BLOQUEO INTERNACIONAL AL GOBIERNO FRANQUISTA.

A SU REGRESO HIZO LA VUELTA CICLISTA A ESPAÑA COMO CONDUCTOR DEL COCHE DEL EQUIPO. ESE AÑO UN CICLISTA DE SU EQUIPO GANÓ LA VUELTA. ÉL SIEMPRE CONTABA QUE FUE GRACIAS A SU AYUDA.

DESPUÉS TRABAJÓ DE REPARTIDOR DE REFRESCOS, LUEGO DE YOGURES...

Y SU ÚLTIMO EMPLEO FUE EN UNA CADENA DE MONTAJE DE COCHES.

PERO EL TRABAJO DEL QUE MÁS HABLABA ERA EL DE CHÓFER DE AQUEL TURRONERO DE JIJONA.

SE ENCARGABA DE LLEVARLO EN SUS VIAJES DE NEGOCIOS Y CUANDO, DISCRETAMENTE, VISITABA A SUS "QUERIDAS".

CONTABA QUE PASABA MUCHAS HORAS EN LA FINCA DE SU JEFE. CUANDO NO ESTABA VIAJANDO LIMPIABA EL COCHE O AYUDABA EN LAS TAREAS DE MANTENIMIENTO DE LA CASA.

IMAGINO QUE, PARA UN VEINTEAÑERO COMO ÉL, DE ORÍGENES HUMILDES Y QUE HABÍA PASADO HAMBRE EN SU INFANCIA, AQUÉL DEBÍA SER UN AMBIENTE DE ENSUEÑO.

POSIBLEMENTE SOÑARÍA CON UN FUTURO PARECIDO: LLEGAR A SER EL PATRIARCA DE UNA FAMILIA...

Y TENER UN TERRENO Y UNA CASA DONDE REUNIRSE Y DISFRUTAR DE LA FAMILIA.

¿Y LLEGÓ A CONSTRUIRLA?

¿EL QUÉ?

LA PÉRGOLA.

NO. BUENO, SÍ.

ES ESO DE AHÍ.
DESDE QUE LA CONSTRUYÓ, TODAS LAS COMIDAS FAMILIARES LAS HEMOS HECHO BAJO LA PÉRGOLA.

¿ES ESO QUE PARECE QUE SE VA A CAER?

NO SÉ CÓMO SERÍA LA DE SU JEFE, PERO DUDO QUE FUERA COMO LA NUESTRA.

LA HIZO CON TUBOS DE PVC RELLENOS DE CEMENTO, CON SOMIERES VIEJOS...

ARTE DE DESECHOS.
SI TU PADRE FUERA UN ARTISTA RECONOCIDO, ESA PÉRGOLA ESTARÍA EN EL GUGGENHEIM.

AQUÍ LAS COSAS NO TIENEN UNA RAZÓN ESTÉTICA, TAN SÓLO PRÁCTICA Y ECONÓMICA.

CUANDO SE DECIDIÓ A CONSTRUIR LA PÉRGOLA, NI MIS HERMANOS NI YO VENÍAMOS YA POR AQUÍ.

SEGURAMENTE ES A LO MÁS QUE PODÍA LLEGAR ÉL SOLO.

...CADA UNO TIENE SU VIDA, MANOLO.

PERO ES UNA LÁSTIMA VENDER ESTO.

YO VIAJO BASTANTE, MI HERMANA CARLA TIENE A LA NIÑA, MI HERMANO VICENTE YA SABES LO RARO QUE ES... ADEMÁS, MANTENER ESTA CASA LLEVA MUCHO TRABAJO.

SI ESTÁS JUBILADO, LO AGRADECES.

PERO A MÍ NUNCA ME HA GUSTADO.

AUNQUE LE ENCANTAN LAS PLANTAS.

TENDRÍAS QUE VER CÓMO TENEMOS EL BALCÓN. NO CABE NI UNA MÁS.

A MI PADRE NO LE IMPORTABA COGERSE EL COCHE DOS VECES POR SEMANA Y VENIRSE AQUÍ, A CUIDAR ESTO.

A VER... CUIDAR EL HUERTO, LOS ÁRBOLES... ESO SÍ ME GUSTA Y LO HARÍA BIEN.

PERO SI TIENES MANOS DE PRINCESA, MÍRATE.

POR AHÍ DENTRO HE VISTO ALGUNA FOTO TUYA, EN PANTALÓN CORTO, EN LA QUE ESTÁS AYUDANDO A TU PADRE EN EL HUERTO, ¿SABES CUÁL TE DIGO?

TODA MI INFANCIA LA HE PASADO EN PANTALÓN CORTO. ÉSE NO ES NINGÚN DATO...

TU PADRE SIEMPRE PRESUMÍA DE QUE SU HUERTO DABA MEJORES PATATAS QUE EL MÍO. MEJORES TOMATES, MEJORES MELONES...

ERA UN FANFARRÓN.

CLAK

TU PADRE HABLABA MUCHO DE VOSOTROS. ERAIS: EL MAYOR, LA PEQUEÑA Y EL ESCRITOR.

SIEMPRE ME ESTABA ENSEÑANDO RECORTES DE PRENSA EN LOS QUE SALÍAS TÚ.

THAK

QUE SI MI TAPIA ESTABA MEJOR CONSTRUIDA, QUE SI LA VALLA ERA MÁS RESISTENTE...

PRESUMÍA DE HIJOS... ESPECIALMENTE DE TI.

THAK

¿DE MÍ?

¿TÚ ERES EL QUE ESCRIBE, NO?

¿EN SERIO?

PERO SI A MÍ NUNCA ME DIJO NI UNA PALABRA DE ÁNIMO.

PUES LE GUSTABA HACERSE EL IMPORTANTE ENSEÑÁNDOME ESOS PAPELES.

AUNQUE YA SABES QUE TU PADRE NO ERA MUY HABLADOR, Y MENOS DESPUÉS DE LA MUERTE DE TU MADRE.

PUES YO CREO QUE YA ESTÁ.

GRACIAS, MANOLO.

SI PUEDO AYUDARTE ALGUNA VEZ CON ALGO...

HOMBRE, PUES JUSTO AHORA TENGO QUE TABICAR UNA PARED DE DIEZ METROS...

YO, CLARO...

¡JA, JA, JA! ES BROMA. SI NECESITAS ALGO MÁS, ME LO DICES.

UNA ÚLTIMA COSA, MANOLO. ÉCHALE UN VISTAZO A ESTE ÁRBOL.

MIRA CÓMO ESTÁ LA HIGUERA.

PENSABA ARRANCARLA PORQUE PARECE MEDIO MUERTA.

ESTA HIGUERA NUNCA HA TIRADO, Y MIRA QUE LA CUIDABA.

ES VERDAD. YA TUVIMOS OTRA QUE SE SECÓ Y ENTONCES PLANTÓ ÉSTA.

¿TANTO LE GUSTABAN LOS HIGOS?

BUENO, SÍ, NO SÉ... PERO MI PADRE NO ERA MUY CONSTANTE CON LAS COSAS.

POR EJEMPLO, CUANDO EL CÉSPED EMPEZÓ A DAR PROBLEMAS LO CUBRIÓ CON CEMENTO.

NO SÉ POR QUÉ ESA FIJACIÓN POR LAS HIGUERAS.

ALGUNA VEZ ME CONTÓ QUE, CUANDO ERA PEQUEÑO...

...PASÁBAMOS MUCHA HAMBRE EN CASA. MI PADRE NO GANABA BASTANTE PARA MANTENER A TODA LA FAMILIA.

ADEMÁS, MI HERMANO ESTABA MUY ENFERMO DE MENINGITIS. ÍBAMOS AL PUERTO A CONSEGUIR DE CONTRABANDO LOS MEDICAMENTOS MÁS BARATOS.

VIVÍAMOS AL LADO DE LA ESTACIÓN DEL TRANVÍA.

NO, VIVÍAN CERCA DE UN MERCADO.

AH, PUEDE SER... PUES CERCA DE SU CASA HABÍA UNA COCHERA O ALGO ASÍ.

...ALLÍ GUARDABAN LOS VAGONES AVERIADOS...

ERA UN BUEN SITIO PARA JUGAR.

¿ENTRAMOS EN LA COCHERA A COGER HIGOS?

YO NO.

NI YO.

LA ÚLTIMA VEZ CASI NOS MUELEN A PALOS.

¿POR QUÉ NO VAMOS A CAZAR RATAS AL MERCADO?

PUES YO VOY A ENTRAR.

TENGO MUCHA HAMBRE.

PASAJEROS AL TREN. PRÓXIMA PARADA: EL ÁFRICA NEGRA.

¡MMMMFFF!

LOS MANDOS NO RESPONDEN. ESTAMOS ATRAPADOS.

JUSTO AHORA QUE NOS ATACAN LOS PIELES ROJAS.

¡A MÍ EL SÉPTIMO DE CABALLERÍA!

¡BANG! ¡BANG!

TOMA PLOMO, SALVAJE.

EN AQUELLA HIGUERA ME OLVIDABA DEL HAMBRE QUE PASABA EN CASA, DE MI HERMANO ENFERMO Y DE AQUEL NIÑO QUE SIEMPRE ME PEGABA.

¿ENTONCES, NOS VAMOS YA?

¿SI TUVIERAS QUE REFUGIARTE EN UN MOMENTO FELIZ DEL PASADO, EN CUÁL LO HARÍAS?

¿Y EL TUYO?

HASTA AHORA NO ME HABÍA PARADO A MIRAR HACIA ATRÁS. MI VIDA HA SIDO UNA CARRERA CONTINUA: ACABAR DE ESTUDIAR, IRME A MADRID A BUSCARME LA VIDA COMO GUIONISTA... LUEGO QUISE CUMPLIR MI SUEÑO DE ESCRIBIR UNA NOVELA...

...Y LO HICE EN LOS POCOS RATOS QUE ME QUEDABAN LIBRES.

VAYA... PUES NO SÉ. QUIZÁ EN ALGUNO DE ESOS FINES DE SEMANA EN LOS QUE MIS PADRES ME DEJABAN EN CASA DE MIS ABUELOS.

ALLÍ ME DEJABAN HACER LO QUE QUISIERA.

HASTA AHORA HA SIDO COMO INTENTAR LLEGAR A UNA META. PERO ESTOS DÍAS AQUÍ HAN SIDO LA PRIMERA VEZ QUE ME HE PARADO Y HE PODIDO MIRAR ATRÁS. TENGO LA SENSACIÓN DE QUE ESA CARRERA ERA UNA ESPECIE DE HUIDA DE UNAS RAÍCES QUE EN CIERTA FORMA ME AVERGONZABAN. ¿ME ENTIENDES?

EL SÍNDROME DEL CULTURETA SNOB.

¿ESO QUIERE DECIR QUE TE VAS A TOMAR LA VIDA CON MÁS TRANQUILIDAD Y QUE NO VOY A TENER QUE ARRASTRARTE DE DELANTE DEL ORDENADOR?

ESPERO QUE SÍ.

¿TÚ CREES QUE MI PADRE TUVO UNA VIDA FELIZ?

¿CÓMO SE CALCULA ESO? IMAGINO QUE DEPENDE DE LAS AMBICIONES QUE CADA UNO TENGA, ¿NO?

¿PERO POR QUÉ SE DEJÓ MORIR? ¿LE QUEDÓ ALGO POR HACER?

TU PADRE PROGRESÓ EN LA VIDA, FORMÓ UNA FAMILIA...

QUIZÁ SE TRATE MÁS DE LO QUE HEMOS HECHO QUE DE LO QUE NOS HA QUEDADO POR HACER.

NO ME HAS DICHO CUÁL SERÍA TU MOMENTO DE FELICIDAD EN EL QUE TE REFUGIARÍAS.

HASTA AHORA PENSABA QUE MI MOMENTO FELIZ ERA CUANDO RECIBÍ MI NOVELA.

VAYA, ESPERABA QUE DIJERAS QUE FUE EL DÍA EN QUE ME CONOCISTE.

TAMBIÉN.

BUENO, TAMPOCO TE RELAJES MUCHO JUSTO AHORA, EH. LOS DOMINGOS HAY MUCHO TRÁFICO.

VOY.

¿QUÉ ESTABAS HACIENDO PARA TARDAR TANTO?

ESTABA PLANTANDO UNAS SIMIENTES.

¿Y ESE SOMBRERO?

ME LO LLEVO.

LO USARÉ PARA SALIR AL BALCÓN A CUIDAR LAS PLANTAS.

¿LLEGASTE A PROBAR LOS MELONES QUE PLANTABA MI PADRE?

...SÍ, HA ARREGLADO LOS ÁRBOLES, EL CAMPO Y TODO ESO...

PERO NI HA MONTADO EL ANDAMIO, NI VEO POR NINGUNA PARTE LA PINTURA QUE TENÍA QUE COMPRAR.

¿QUE SE OLVIDÓ?

QUÉ POCO ME EXTRAÑA.

ES UN DESASTRE.

SE PODRÍA SEGUIR SU RASTRO POR LA CASA VIENDO CÓMO ESTÁN LAS MANGUERAS.

LAS QUE ESTÁN MAL ENROLLADAS SON LAS QUE HA USADO ÉL.

HE ENCONTRADO UN PAR DE BOTES DE PINTURA QUE TENÍA PAPÁ.

PODEMOS IR PINTANDO CON ÉSTA HASTA QUE JOSÉ VUELVA Y TRAIGA LOS QUE TIENE QUE COMPRAR.

PERO DILE QUE ESTÉ AQUÍ EL SÁBADO TEMPRANO.

DÍSELO, EH.

TENÍA QUE HABERME ENCARGADO YO DE TODO.

SÍ, ME HE COGIDO UNOS DÍAS LIBRES. DESDE HOY, HASTA EL LUNES. COMO NO HAY MUCHO TRABAJO EN EL TALLER...

SÍ, YA LA HE VISTO.

NO, NO ESTÁ ROTA LA PERSIANA.

PARA JOSÉ TODO LO QUE NO PUEDE HACER FUNCIONAR ES QUE ESTÁ ROTO.

SÍ, ESPERA, TE LA PASO.

MUY BIEN. HASTA EL VIERNES.

TOMA, ES MI HERMANA.

QUIERE SABER QUÉ TRAE PARA COMER.

NOSOTROS HEMOS TRAÍDO DE TODO. Y TU HERMANO JOSÉ HA DEJADO COMIDA EN LA NEVERA.

SÍ, ¡JA, JA, JA! ¿CÓMO LO HAS ADIVINADO?

PIZZAS VARIADAS Y COMIDA PRECO- CINADA.

CÓMO SE NOTA QUE NO LES GUSTA COCINAR.

LUEGO BIEN SE QUEJA DE QUE NO TIENE DINERO.

AYÚDAME CON LA PERSIANA.

¿ESTÁ ROTA?

NO.

EL VIENTO LA HA SACADO DE LA GUÍA.

TÚ INTENTA LEVANTARLA.

FUERTE.

CLAK

¡JUAN!

¿ME HAS OÍDO?

RRRAR

SIGUEN SIENDO
UNAS VISTAS
INCREÍBLES...

SE VE HASTA
EL MAR Y...

...QUE NO SE TE ENREDE.

¡AU!

¡YA ESTÁ!

MIRA, MAMÁ. YA ESTÁ MARCADO EL TERRENO.

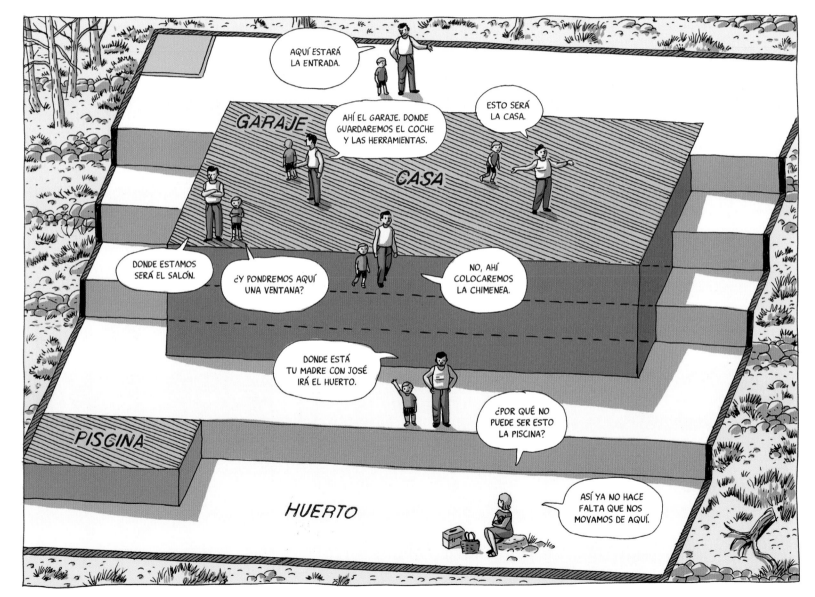

¿SABES QUE TIENES RAZÓN?

AQUÍ PONDREMOS UNA VENTANA.

HAY UNAS VISTAS ESTUPENDAS. SE VE HASTA EL MAR.

¿PARA QUÉ NOS HEMOS LEVANTADO TAN PRONTO?

HAY MUCHO QUE HACER.

OYE, PAPÁ, ¿POR QUÉ NUNCA GUARDAMOS EL COCHE EN EL GARAJE?

PORQUE NO CABE.

ÉSTE ERA EL LUGAR FAVORITO DE TU ABUELO. SI NO LO ENCONTRABAS ES QUE ESTABA AQUÍ METIDO.

¿SABES A QUÉ ME RECUERDA ESO, PAPÁ?

A LOS ALIJOS INCAUTADOS DE LA GUARDIA CIVIL. ¿A QUE SÍ? ESTÁ TODO SUPERORDENADO.

TU ABUELO ERA MUY ORDENADO.

VAMOS, AYÚDAME CON LA ESCALERA.

63

...MIRA ESTOS REMOS.

SON DE UNA BARCA HINCHABLE QUE TENÍAMOS CUANDO ÉRAMOS PEQUEÑOS.

LA BARCA YA ESTÁ PODRIDA. ¿CON QUÉ FIN GUARDABA TODO ESTO TU ABUELO? MISTERIO.

O ESTO.

LAS RUEDECITAS DE LA PRIMERA BICICLETA DE TU TÍA CARLA. HASTA GUARDÓ LOS TORNILLOS.

Y MIRA LO QUE HE EN-CONTRADO POR AQUÍ...

LA SECCIÓN: JUEGOS DE MESA.

MIRA ÉSTE.

¿QUÉ ES?

EL MEJOR REMEDIO PARA LOS DÍAS DE LLUVIA COMO ÉSTE.

¡EL SCATTERGORIES!

¿EL JUEGO ESE DE LAS PALABRAS?

PERFECTO.

AHORA LE PONEMOS UNA ALCAYATA...

Y YA ESTÁ.

PERO... ¿QUÉ ES?

OYE, PAPÁ...

¿POR QUÉ NO NOS QUEDAMOS NOSOTROS LA CASA?

SIRVE PARA COLGAR LAS HERRAMIENTAS.

¿ME AYUDAS A HACER EL RESTO?

PERO, PAPÁ, MAMÁ TE ESPERA.

QUÉ PESADA ES TU MADRE.

MAMÁ NO ES PESADA.

VAMOS A HACER UNA COSA, VICENTE: DILES QUE VENGAN AL GARAJE.

Y ENTRE TODOS ACABAMOS ESTO, ¿TE PARECE?

HOMBRE... NO PODEMOS. MANTENERLA ES MUY CARO.

PODEMOS HACERLO TODO NOSOTROS, COMO HACÍA EL ABUELO.

PERO PARA ESO HAY QUE VENIR A MENUDO A CUIDARLA. YA VES CÓMO SE HA ESTROPEADO EN UN AÑO.

YO VENDRÍA.

ESO LO DICES AHORA. DENTRO DE POCO EMPEZARÁS A SALIR CON LOS AMIGOS LOS FINES DE SEMANA Y NO QUERRÁS VENIR.

A MÍ ME GUSTA ESTAR AQUÍ.

PERO SI ACABAMOS DE COMER... ¿NO DESCANSAS UN RATO?

QUERÍA ARREGLAR ESTE GRIFO. JOSÉ DEBIÓ FORZARLO.

YA SABES, ES ARTISTA.

PARA UNA COSA QUE HACE ESTROPEA DIEZ.

CON ESA EXCUSA SE HA ESCABULLIDO SIEMPRE DE TODO.

TU HERMANO ES COMO TU MADRE, UN BOHEMIO.

EN CAMBIO, TÚ TE PARECES A TU PADRE.

ANTES LE SOLUCIONABA LOS PROBLEMAS MI PADRE Y AHORA ME TOCA HACERLO A MÍ.

QUÉ DICES. NO ME PAREZCO A MI PADRE EN NADA.

VAMOS, SOIS IDÉNTICOS. TÚ TAMPOCO PUEDES ESTARTE QUIETO NI UN MOMENTO.

PERO ÉL ERA UN EGOÍSTA QUE NO LE TENÍA CARIÑO A NADIE.

NO SEAS BRUTO. LO QUE PASA ES QUE NO LO DEMOSTRABA.

YA VES CUANDO MURIÓ MI MADRE.

NO LE AFECTÓ NI LO MÁS MÍNIMO...

QUÉ LÁSTIMA, ¿VERDAD?

CON LO CUIDADA QUE TENÍA LA CASA TU PADRE.

SI LA VIERA ASÍ, LE DABA ALGO.

NO CREAS...

SI TIENES QUE IR AL BAÑO, LEVÁNTATE YA.

VOY A CORTAR EL AGUA.

TENGO QUE USAR EL BAÑO.

AHORA YA NO PUEDES. TE HE AVISADO.

HAZ PIS EN ALGÚN ÁRBOL.

NO ES PIS.

PUES VE AL MONTE.

¿QUÉ DICES?

MIRA, AHÍ HAY ROMERO.

AYÚDAME A COGER UNAS RAMAS PARA LA PAELLA DE TU ABUELA.

ABUELO, ¿PUEDO QUEDARME CON VOSOTROS HASTA QUE EMPIECE EL COLE?

CLARO. TU ABUELA Y YO ESTAREMOS AQUÍ HASTA MEDIADOS DE SEPTIEMBRE.

A MÍ ME GUSTA ESTAR AQUÍ.

Y A MÍ. SI POR MÍ FUERA ME QUEDARÍA TODO EL AÑO. AQUÍ ME ENTRETENGO, ¿SABES? A MÍ NO ME VA ESO DE IR A JUGAR AL DOMINÓ CON OTROS JUBILADOS, NI QUEDARME EN CASA VIENDO LA TELE.

PERO A TU ABUELA ESTO NO LE GUSTA. Y NO VOY A VENIRME YO SOLO. A MÍ ME GUSTA ESTAR CON ELLA, PERO ELLA PREFIERE QUEDARSE EN CASA, POR SI VIENEN SUS HIJOS A VERLA.

CON ESTO YA TENEMOS BASTANTE.

Y AL FINAL, NOS QUEDAMOS EN EL PISO Y NO VIENEN NI TUS TÍOS NI TUS PADRES.

YO SÍ VOY, ABUELO.

YA VERÁS QUÉ SABOR MÁS BUENO LE DA EL ROMERO.

BUENO,
PUES OTRA COSA
MENOS.

FSSSSSSSS

VAMOS, RECONOCE QUE
ESTÁS DISFRUTANDO ARRE-
GLANDO COSAS. HACÍA
TIEMPO QUE NO TE VEÍA
TAN RELAJADO.

YA.
MI HERMANO
Y SUS IDEAS
DE NOVELISTA.

AL FINAL FUI YO EL QUE
MÁS TUVO QUE OCUPARSE DE
MI PADRE CUANDO SE ESTABA
MURIENDO EN EL HOSPITAL.
Y ENCIMA MI PADRE ME ODIABA
EN ESOS ÚLTIMOS MOMENTOS.

ESO SON
IMAGINACIONES TUYAS.
¿POR QUÉ PIENSAS ESO?

A MÍ ME PARECE QUE JOSÉ HA
TENIDO UNA BUENA IDEA CON LO DE
REUNIRNOS AQUÍ. DESDE AQUEL CUM-
PLEAÑOS DE TU PADRE NO HABÍAMOS
VUELTO A LA CASA.

PERO ESE ESMERO POR
CUIDAR A LA FAMILIA YA LO
PODÍA HABER TENIDO CUANDO
MI PADRE ESTABA ENFERMO.

¿CUÁNTAS VECES
SE QUEDÓ MI HERMANO
EN EL HOSPITAL?

PORQUE EN PRIMAVERA
DEJÓ DE HABLARME,
ASÍ SIN MÁS.

IMAGÍNATE LO DURO QUE DEBÍA SER PARA ÉL VERSE ASÍ, CON LO QUE HABÍA SIDO.

POR ESO ME TOCÓ A MÍ HACER DE PADRE Y ENCARGARME DE TODO: VENDER SU COCHE, DAR DE BAJA EL SEGURO...

TUVE QUE TOMAR DECISIONES DIFÍCILES ALLÍ, EN EL HOSPITAL...

SEGURO QUE HICISTE LO QUE TENÍAS QUE HACER.

¿YA SE PUEDE USAR?

NO AGUANTO MÁS.

¿NO HABÍAS IDO AL MONTE?

¿ESTÁS LOCO?

SE ME HAN DORMIDO LAS PIERNAS ANTES DE PODER HACER NADA.

...SE DERRUMBÓ POR LAS LLUVIAS.

¿TE ACUERDAS AQUEL AÑO QUE LLOVIÓ TANTO?

ESTE MURO LO CONSTRUIMOS TODA LA FAMILIA UN VERANO.

HASTA TU TÍA CARLA, QUE ERA MUY PEQUEÑA, AYUDÓ TRAYENDO PIEDRAS.

¿Y EL TÍO JOSÉ TAMBIÉN?

QUÉ REMEDIO LE QUEDABA...

YA SABES EL GENIO QUE TENÍA TU ABUELO.

A TUS TÍOS NO LES GUSTABA NADA TRABAJAR. SIEMPRE SE ESTABAN QUEJANDO.

PERO EL ABUELO DISFRUTABA, ¿VERDAD?

TRABAJAR ERA SU ÚNICO HOBBY.

POR ESA ÉPOCA MÁS O MENOS NACISTE TÚ...

RECUERDO QUE ME QUEDABA AQUÍ CON LOS ABUELOS EN VERANO.

PERO CRECISTE Y EMPEZASTE A IR DE CAMPAMENTO Y TU MADRE Y YO NOS ALQUILÁBAMOS UN APARTAMENTO EN LA PLAYA.

SE PASABAN AQUÍ LARGAS TEMPORADAS LOS DOS SOLOS.

NOSOTROS YA APENAS VENÍAMOS.

Y A LOS POCOS DÍAS DEL ENTIERRO TU ABUELO YA ESTABA AQUÍ...

SE COGIÓ EL COCHE Y SE VINO A LA CASA COMO SI TAL COSA...

ASÍ QUE, AL FINAL, SÓLO VENÍAN TU ABUELO Y TU ABUELA.

DESPUÉS MURIÓ TU ABUELA.

...A FUMIGAR EL CAMPO PARA PLANTAR PATATAS.

77

COMO SI NO LE IMPORTARA LA MUERTE DE TU ABUELA.

BUENO, PUES EL MURO YA ESTÁ.

¿TE HA GUSTADO HACER TU PRIMERA OBRA EN LA CASA?

BUENO...

¿QUÉ HACES?

CLARO.

TUS TÍOS Y YO TAMBIÉN LO HICIMOS CUANDO LO CONSTRUIMOS.

VAMOS, FÍRMALA ANTES DE QUE SE SEQUE EL CEMENTO.

¿EN SERIO?

...QUÉ GRANDE SE HA HECHO YA.

NORMAL, ES UNA ZAMPABOLLOS.

OS HE PREPARADO LA HABITACIÓN DE MATRIMONIO.

PERFECTO, AHÍ PODEMOS PONER UNA CAMA PARA ELENA.

¿Y LA TÍA SILVIA?

¿CÓMO QUE LA TÍA SILVIA?

¿POR QUÉ TE ACUERDAS MÁS DE ELLA QUE DE MÍ?

HOMBRE, CRISTÓBAL.

YA ESTÁIS AQUÍ.

SÍ, EN CUANTO TU HERMANA HA SALIDO DE TRABAJAR NOS HEMOS VENIDO. Y DE CAMINO HEMOS PASADO POR EL SUPERMERCADO.

¿QUÉ TAL POR AQUÍ?

AYER LLOVIÓ, PERO HA HECHO BUENO.

AHORA ESTÁBAMOS MONTANDO EL ANDAMIO PARA PINTAR.

81

CUANDO TU ABUELO LOS CUIDABA TODOS LOS ÁRBOLES ESTABAN LLENOS DE FRUTOS.

AQUÍ HAY MÁS.

¿Y ÉSTA ESTÁ BUENA?

¿LA PUEDO COGER?

¡CARLA!

TRAE LAS GARRAFAS DE LA COCINA Y ACOMPÁÑAME A POR AGUA.

NO LLEGO.

TU ABUELO TE HABRÍA ENSEÑADO A COGERLAS.

¿YA ESTÁS EN EL COCHE?

MUY BIEN, VÁMONOS.

83

BLUB
BLUB

...ESTA AGUA ES MUY BUENA. VIENE DEL MANANTIAL.

VA MUY BIEN PARA LIMPIAR EL RIÑÓN.

¿ES MEJOR QUE EL JABÓN?

SEGURO.

HOLA, CARLA. ¿OTRA VEZ TE HA TOCADO A TI ACOMPAÑAR A TU PADRE?

VAMOS, DILE ALGO A MANOLO. ES NUESTRO VECINO.

85

NO ESTARÁS PENSANDO EN DARTE UN BAÑO DE LODO.

PUAJ. NO.

QUÉ LÁSTIMA DE PISCINA, ¿VERDAD?

ESTÁ HECHA UN ASCO.

CON LO QUE NOS COSTÓ HACERLA. ¿TE ACUERDAS?

CLARO QUE SÍ. ESE VERANO HUBO UNA REBELIÓN.

NOS NEGAMOS A TRABAJAR SI NO TENÍAMOS UNA PISCINA PARA BAÑARNOS.

¿QUIERES NARANJA?

Y NOS PASAMOS EL VERANO CAVANDO.

PERO NO LA ACABAMOS HASTA NOVIEMBRE. Y YA HACÍA FRÍO PARA BAÑARNOS.

NO ENTIENDO POR QUÉ NO CONTRATAMOS UNA EXCAVADORA.

¿PAPÁ CONTRATANDO A ALGUIEN?

¿POR QUÉ IBA A PAGAR A ALGUIEN POR HACER ALGO QUE ÉL DISFRUTABA HACIENDO?

JA, JA, JA... SÍ, PERO NOS OBLIGABA A NOSOTROS A TRABAJAR.

SE HACE RARO ESTO SIN ÉL.

EL OTRO DÍA ME PARECIÓ VERLO POR LA CALLE, DE ESPALDAS...

CUANDO ESTABA A PUNTO DE LLAMARLO ME ACORDÉ DE QUE PAPÁ YA NO ESTABA.

ME PUSE MUY TRISTE.

TE ENTIENDO.

ESTOS DÍAS AQUÍ, YO TAMBIÉN ME OLVIDABA. PENSABA QUE ME LO IBA A ENCONTRAR TRABAJANDO EN EL CAMPO...

O HACIENDO ALGUNA CHAPUCILLA EN EL GARAJE.

Y A MAMÁ DETRÁS DE ÉL DICIÉNDOLE QUE LA COMIDA SE ENFRÍA.

OYE, PAPÁ... ¿DÓNDE SE COLOCA ESTO?

AHÍ NO VA. ESPERA.

¿PUDISTE PONER EN ORDEN LOS PAPELES DE LA CASA?

SÍ, YA LO TENEMOS TODO.

TUVE QUE PERDER VARIAS MAÑANAS YENDO AL NOTARIO Y AL AYUNTAMIENTO...

BUFF, ESO DE LOS PAPELEOS SÍ QUE ME DA PEREZA.

YO ESTOY ACOSTUMBRADA A ESAS COSAS.

ADEMÁS, HACER EL PAPELEO DE LA CASA ERA EL TRABAJO QUE ME TOCABA HACER A MÍ.

AHORA YA PODEMOS VENDERLA.

OH...

GENIAL.

¿NO?

ESTO ES LO QUE HABÍA EN EL GARAJE.

YO CREO QUE NO HAY BASTANTE.

MAÑANA JOSÉ TRAERÁ MÁS.

YA VERÁS CÓMO NOS DEJA COLGADOS CON ALGUNA EXCUSA.

¿A QUE SE OLVIDA DE COMPRAR LA PINTURA?

VAMOS, SÉ AMABLE CON ÉL, ¿VALE?

BUENO, TRANQUILO, YA VERÁS CÓMO JOSÉ CUMPLE SU PARTE.

¿POR QUÉ NO OS LA QUEDÁIS VOSOTROS?

YO YA SE LO HE DICHO A TU HERMANA. POR MÍ ENCANTADO.

SE TRATA DE PASAR UNOS DÍAS AQUÍ, TODOS JUNTOS. SI NO LO ACABAMOS, NO IMPORTA.

YA. PERO YO ME HE COGIDO UNOS DÍAS DE VACACIONES PARA VENIR.

ES UNA LÁSTIMA VENDER ESTO.

¿Y CÓMO LO PAGAMOS SI TÚ ESTÁS SIN TRABAJO?

VENDEMOS NUESTRA CASA Y NOS VENIMOS AQUÍ A VIVIR.

A MÍ ESTO ME GUSTA.

CLARO...

89

Y YO ME TENGO QUE HACER TODOS LOS DÍAS CIEN KILÓMETROS PARA IR A TRABAJAR, ¿NO?

DEJAS EL TRABAJO, CARI.

VIVIREMOS DE LO QUE DÉ EL CAMPO.

¡QUITA! ESTÁS SUDADO.

¿TÚ LO OYES?

ME HE IDO A LIAR CON EL ÚLTIMO HIPPY VIVO.

...SIEMPRE ÍBAMOS
CON EL COCHE CARGADO
HASTA ARRIBA.
¿TE ACUERDAS?

...LOS CINCO MÁS LA
COMIDA, LA BEBIDA,
LOS TRASTOS...

Y AÚN PARÁBAMOS EN
EL ALMACÉN DE MATERIALES
PARA COMPRAR LADRILLOS
O CEMENTO.

PERO VOSOTROS, ANTES DE TENER
LA CASA, POR LO MENOS TUVISTEIS
VACACIONES "NORMALES".

YO SIEMPRE ACABABA CON
UN SACO DE ALGO ENCIMA.

¡Y ESO PASABA
TODOS LOS FINES
DE SEMANA!

BUENO, YO NI ME ACUERDO,
PERO ÍBAMOS A LA PLAYA
O DE CAMPING...

A MAMÁ AQUELLO
LE GUSTABA MÁS.

PERO PAPÁ
SE ABURRÍA.

VICENTE...

¿TÚ CREES QUE EN ESOS ÚLTIMOS MESES PAPÁ SUFRIÓ?

NO LO SÉ.

A MÍ ME GUSTARÍA PENSAR QUE NO.

AL MENOS, AL FINAL, YA NO ERA CONSCIENTE DE LO QUE PASABA.

¿HICIMOS TODO LO QUE SE PODÍA HACER?

ES DECIR, ¿CREES QUE PODRÍAMOS HABERLE ALARGADO LA VIDA?

NO PODÍAMOS HACER MÁS. LA OPERACIÓN LE SALVÓ LA VIDA, PERO NO HABÍA SOLUCIÓN.

LOS MÉDICOS YA NOS DIJERON QUE ERA CUESTIÓN DE TIEMPO.

PERO QUIZÁ PODRÍAMOS HABER BUSCADO OTROS MÉDICOS...

OTROS TRATAMIENTOS QUE LE HUBIERAN DADO AUNQUE FUERA UNOS POCOS AÑOS MÁS DE VIDA.

PAPÁ YA ESTABA MUY MAL, ERA MAYOR... NO SE PODÍA HACER NADA.

ME HABRÍA GUSTADO QUE HUBIERA PODIDO DISFRUTAR DE SU NIETA.

EL DÍA QUE MURIÓ PAPÁ, YO ESTABA SOLO CON ÉL, EN EL HOSPITAL.

¿TE ACUERDAS?

ME TOCABA A MÍ QUEDARME, PERO TENÍA QUE LLEVAR A ELENA AL PEDIATRA.

SOBRE LAS DIEZ PAPÁ ENTRÓ EN COMA.

PLOP PLOP

PLOP PLOP

SÍ, RECUERDO QUE LLAMASTE PARA AVISARNOS, PERO NO PUDE LLEGAR A TIEMPO.

AL POCO DE LLAMAROS A TI Y A JOSÉ VINO EL MÉDICO Y ME PREGUNTÓ SI QUERÍAMOS QUE INTENTARAN REANIMARLO...

...O SEDARLO PARA DEJARLO IR.

TENÍA QUE DARLE UNA RESPUESTA.

HICE LO CORRECTO, ¿VERDAD?

MIRA, PAPÁ. HAY BICHOS EN EL AGUA.

...TEN CUIDADO, QUE RESBALA.

ENTONCES, ¿NOS VAMOS SIN TI?

YA SON LAS DIEZ Y TU HERMANO AÚN NO HA LLEGADO.

DIGO QUE SI NOS VAMOS. ¿SEGURO QUE NO QUERÉIS QUE OS ECHEMOS UNA MANO?

¿TE ENCUENTRAS BIEN?

OH, SÍ, ESTOY BIEN.

MARCHAOS YA. JOSÉ ESTARÁ A PUNTO DE LLEGAR.

PERO ENTRE TODOS LO PINTARÍAMOS EN UN MOMENTO.

SE TRATA DE TRABAJAR LOS TRES JUNTOS, COMO HACÍAMOS ANTES.

OK, CARIÑO.

NOS IREMOS TODOS AL PUEBLO, A PASAR EL DÍA.

COMEREMOS ALLÍ Y LUEGO DAREMOS UNA VUELTA POR EL MERCADO. LOS SÁBADOS LO MONTAN EN EL PUERTO.

PÓRTATE BIEN, ¿VALE?

¡AAAY!

HASTA LA NOCHE.

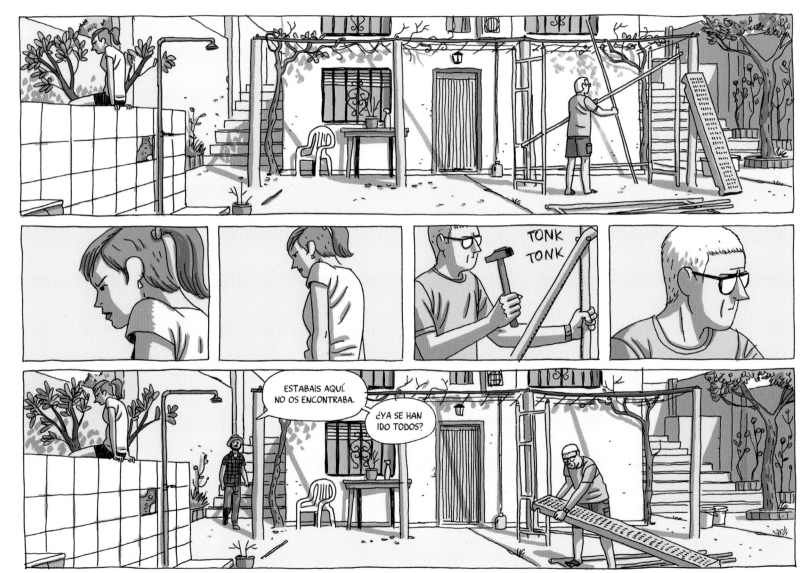

JUNTOS DE NUEVO PARA TRABAJAR EN LA CASA.

¿CÓMO OS HA IDO?

¿HA PASADO ALGO? ESTÁIS MUY SERIOS.

¿SABES QUÉ HORA ES?

LO SIENTO. ES QUE...

NO ME LO DIGAS. TE OLVIDASTE OTRA VEZ DE COMPRAR LA PINTURA Y HAS TENIDO QUE IR ESTA MAÑANA A POR ELLA.

¡JODER! QUÉ RECIBIMIENTO.

SIEMPRE ESTÁS IGUAL. ERES UN HISTÉRICO, ¿VALE?

TENEMOS TIEMPO DE SOBRA. LA IDEA ERA REUNIRNOS AQUÍ LOS TRES Y...

SI TANTO TE PREOCUPABA EL MANTENER A LA FAMILIA UNIDA, YA PODÍAS HABERTE OCUPADO DE PAPÁ EN EL HOSPITAL.

¿QUÉ QUIERES DECIR CON ESO?

POR MÍ VENDEMOS LA CASA COMO ESTÁ. ESTOY HARTO.

YO... HICE LO QUE PUDE. AQUELLOS MESES TENÍA MUCHO TRABAJO EN MADRID... OJALÁ HUBIERA PODIDO ESTAR EN ESE ÚLTIMO MOMENTO...

YO TAMBIÉN TENÍA TRABAJO Y SIN EMBARGO PUDE OCUPARME DE PAPÁ.

SI NO QUERÉIS QUE TOME YO LAS DECISIONES, ENTONCES OCUPAOS VOSOTROS DE LAS COSAS, ¿VALE?

¿PERO A QUÉ VIENE TODO ESTO?

PERO ESA DECISIÓN NO TE CORRESPONDÍA TOMARLA A TI SOLO. ¿TE ENTERAS?

ME CABREA QUE NOS SIGAS TRATANDO AÚN COMO A HERMANOS PEQUEÑOS. ¿QUIÉN TE CREES QUE ERES?

NO HABÍA TIEMPO. ESTABA YO SOLO EN EL HOSPITAL. ¿CREES QUE FUE FÁCIL?

¿PODÉIS DECIRME DE QUÉ COJONES HABLÁIS?

VAMOS. CUÉNTASELO A JOSÉ.

...SI LO PIENSAS, AL FIN Y AL CABO, ERA UN ACTO EGOÍSTA EL QUERER MANTE-NERLO CON VIDA MÁS TIEMPO.

YA, PERO ME HABRÍA ENCANTADO QUE PAPÁ HUBIERA VIVIDO UNOS AÑOS MÁS.

PERO ÉSA YA NO ERA CALIDAD DE VIDA, CARLA.

YO... SIENTO HABER TOMADO ESA DECISIÓN YO SOLO.

YA LO SÉ.... TENÉIS RAZÓN. ÉL NO HUBIERA QUERIDO SEGUIR VIVIENDO ASÍ.

PERO OJALÁ ELENA HUBIERA SIDO MÁS MAYOR PARA PODER RECORDAR A SU ABUELO.

BUENO.

¿QUERÉIS SABER POR QUÉ HE LLEGADO TARDE?

PÉRGOLA TOSCANA
REF: 26733
BRICOCITY

¿QUÉ ES ESTO?

¿OS ACORDÁIS DE QUE PAPÁ SIEMPRE QUISO CONSTRUIR UNA PÉRGOLA?

¿AH, SÍ?

¿NO TE ACUERDAS? MUCHAS VECES NOS HABLABA DE LA FINCA DE AQUEL JEFE SUYO PARA EL QUE TRABAJABA DE CHÓFER.

EL TÍO DEL PURO LO LLAMABA.

AH, ES VERDAD. EL TURRONERO, ¿NO?

PAPÁ CONTABA QUE TODA LA FAMILIA COMÍA DEBAJO DE UNA ELEGANTE PÉRGOLA.

SIEMPRE QUISO TENER UNA PARA PODER HACER ALLÍ LAS COMIDAS.

AL FINAL HIZO ESA COSA HORRIBLE. JAJAJA.

¿RECORDÁIS EL VERANO QUE SE DECIDIÓ POR FIN A CONSTRUIRLA? LE DIJIMOS QUE VENDRÍAMOS A AYUDARLE Y A PASAR AQUÍ UNOS DÍAS.

NOS LLENÓ LA PISCINA Y TODO.

AL FINAL YO NO PUDE VENIR.

NI YO.

NO VINIMOS NINGUNO.

MAMÁ ME CONTÓ QUE SE ENFADÓ TANTO QUE DECIDIÓ HACER LA PÉRGOLA ÉL SOLO, CON LO QUE TENÍA A MANO.

¿QUÉ OS PARECE SI LA CONSTRUIMOS NOSOTROS?

¿LA PÉRGOLA? ESO NO SE HACE EN UN DÍA, HOMBRE. HAY QUE MEDIR, SERRAR, HACER LOS AGUJEROS PARA LOS ANCLAJES...

YA ESTÁ HECHA.

ME HAN ASEGURADO QUE ES FÁCIL Y RÁPIDA DE MONTAR.

LA ENCARGUÉ CUANDO ME FUI DE AQUÍ EL OTRO DÍA Y ESTA MAÑANA HE PASADO A RECOGERLA.

AUNQUE CUANDO VENÍA PARA ACÁ, HE TENIDO QUE VOLVER. SE ME OLVIDÓ COMPRAR LA PINTURA.

¡LO SABÍA!

¿QUÉ OS PARECE? ¿LA CONSTRUIMOS?

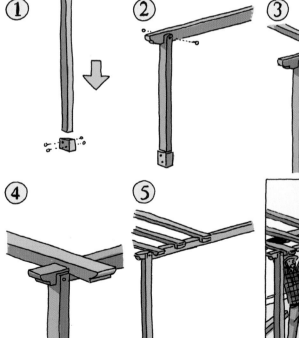

¿OS ACORDÁIS DE AQUEL VERANO DE LOS JUEGOS OLÍMPICOS DE LOS ÁNGELES?

NO SÉ...

¿QUÉ AÑO FUE ESO?

NO ME ACUERDO.

YO TENDRÍA ONCE O DOCE AÑOS.

ESPAÑA JUGABA LA SEMIFINAL DE BALONCESTO CONTRA YUGOSLAVIA.

PERO JUSTO ESE DÍA HABÍA UN CORTE DE CORRIENTE Y NO TENÍAMOS LUZ.

YO ME PUSE PESADÍSIMO. TUVE UN GRAN BERRINCHE. QUERÍA VER ESE PARTIDO.

ASÍ QUE PAPÁ FUE AL GARAJE A BUSCAR UNAS PINZAS, SACÓ EL TELEVISOR DE CASA Y LO CONECTÓ A LA BATERÍA DEL COCHE.

ME PARECIÓ MÁGICO QUE AQUELLO FUNCIONASE.

NOS SENTAMOS A VER EL PARTIDO.

ÉL Y YO SOLOS.

ERA DE MADRUGADA.

TODO ESTABA EN SILENCIO Y ARRIBA EL CIELO ESTABA LLENO DE ESTRELLAS.

¿Y VOSOTROS? ¿CUÁL ES EL MOMENTO MÁS FELIZ QUE RECORDÁIS EN LA CASA?

ALGUNO EN EL QUE NO ESTUVIÉRAMOS TRABAJANDO, SUPONGO.

ESO ES DIFÍCIL.

ME ACUERDO DE UN VERANO QUE HACÍA MUCHO CALOR. LAS CHICHARRAS NO DEJABAN DE CANTAR.

ESTÁBAMOS ASFALTANDO EL SUELO O ALGO ASÍ.

PODRÍAMOS HABERLE DENUNCIADO POR EXPLOTACIÓN INFANTIL.

ENTONCES AÚN NO TENÍAMOS LA PISCINA.

PAPÁ LLENÓ UN BIDÓN CON AGUA.

Y NOS METIMOS LOS TRES ALLÍ.

NO SALIMOS HASTA QUE TUVIMOS LA PIEL TAN ARRUGADA COMO UNA PASA.

EL AGUA ESTABA FRÍA Y TRANSPARENTE.

SIEMPRE QUE PIENSO EN UN MOMENTO REFRESCANTE, ME VIENE A LA CABEZA AQUÉL.

SIEMPRE TENÍA UNA SOLUCIÓN PARA TODO.

EN EL FONDO ERA UN BUEN CAPATAZ CON SUS "OBREROS".

YO RECUERDO MUCHOS MOMENTOS FELICES. LOS DÍAS DE TORMENTA, CUANDO TODO OLÍA A PINO Y A TIERRA MOJADA Y MIRABA CÓMO PAPÁ TRABAJABA EN EL GARAJE...

PERO EN ESPECIAL, A MÍ ME GUSTABA AYUDARLE A LIMPIAR EL COCHE.

¿EN SERIO?

SOBRE TODO CUANDO HACÍA BUEN TIEMPO.

NUNCA DEJABA PASAR MÁS DE UNA SEMANA SIN LAVARLO.

YO LE DABA CON LA MANGUERA MIENTRAS ÉL LO ENJABONABA.

LO LAVABA A CONCIENCIA...

Y LUEGO LO SECABA CON UNA PIEL DE NO SÉ QUÉ.

EL COCHE QUEDABA RELUCIENTE.

TENÍAMOS EL UTILITARIO DE SEGUNDA MANO MÁS BRILLANTE DEL MUNDO.

ESTABA OBSESIONADO CON TENERLO SIEMPRE LIMPIO.

105

CLARO, HABÍA SIDO CHÓFER. PARA ÉL ERA UNA OBLIGACIÓN TENERLO SIEMPRE IMPECABLE.

POR ESO CONDUCÍA TAN BIEN.

ES VERDAD, NUNCA LE HIZO NI UN RASGUÑO AL COCHE.

RRRRRRRR

Y ESO QUE ESTUVO CONDUCIENDO HASTA EL MISMO DÍA QUE LE OPERARON.

SE FUE ÉL SOLO, CON SU COCHE, DESDE AQUÍ A URGENCIAS.

ÉSA FUE LA ÚLTIMA VEZ QUE CONDUJO.

Y NI UN GOLPE. ¡IGUALITO QUE YO, ÍJA, JA, JA!

LUEGO OS ENSEÑO EL GOLPE QUE LE HA DADO CRISTÓBAL AL COCHE.

PLINC

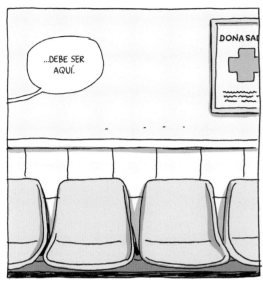

...DEBE SER AQUÍ.

SIÉNTATE. CON CUIDADO.

MANUEL LÁZARO, LOLES MARTÍNEZ...

¿Y QUÉ SE HACE CON ESTE PAPEL QUE NOS HAN DADO ARRIBA?

PERDONE...

LLEVAMOS CASI UNA HORA AQUÍ...

Y AÚN NO NOS HAN LLAMADO. HAY GENTE QUE YA HA ENTRADO Y QUE HA LLEGADO DESPUÉS.

¿QUÉ NOMBRE ES?

109

ANTONIO GISBERT.

NO LO TENGO. ¿HAN DEJADO LA HOJA EN EL BUZÓN?

¿QUÉ BUZÓN?

EN EL DE LA ENTRADA.

RESONANCIAS

VAMOS LLAMANDO SEGÚN RECOGEMOS LAS HOJAS DEL BUZÓN.

AVISO

DONA SA

DONA SA

DONA SA

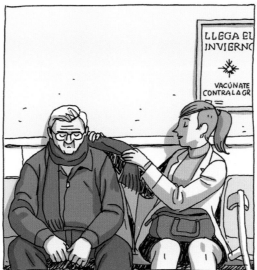

¿Y QUÉ HAY QUE HACER CON ESTO?

¿DÓNDE SE DEJA ESTE PAPEL?

HAY QUE...

CHSSSST.

PRIMERO METE EL NUESTRO Y LUEGO SE LO EXPLICAS.

Empieza la primavera
y también los alergias

LA SEMANA QUE VIENE YA ES ABRIL.

SÍ, QUÉ GANAS TENGO DE QUE LLEGUE EL BUEN TIEMPO Y QUE PODAMOS IRNOS POR AHÍ CON ELENA.

TENGO QUE PLANTAR YA LAS PATATAS Y LOS PEPINOS.

114

NO LO HE PODIDO EVITAR. MIRA QUÉ BUENA PINTA TIENEN.

...LAS HE COMPRADO SIN QUE TU HERMANA SE ENTERE.

JUAN, HAZ EL FAVOR DE CUIDAR DE TU PRIMA.

NO QUIERE VERME COMER MARISCO PORQUE DICE QUE ME SUBE EL ÁCIDO ÚRICO.

ASÍ QUE NOS TENDREMOS QUE COMER LAS CIGALAS SIN QUE NOS VEA.

PERO SI ESTO HUELE A KILÓMETROS DE DISTANCIA.

118

119

LA CENA SE ENFRÍA.

VAMOS.

¿QUÉ TE PARECE SI QUEDAMOS EL PUENTE DE NOVIEMBRE Y ARREGLAMOS EL TEJADO?

125

Este epílogo no debería leerse. Yo he disfrutado escribiéndolo, es cierto, y supone para mí un orgullo haberlo hecho, pero cuando lo termino creo que debo recomendar al lector cabal que se lo salte, porque, aunque me veo con capacidad y entusiasmo para decir muchas cosas de *La casa*, para suscitar reflexiones muy distintas desde otros tantos puntos de vista, pienso que todas ellas quedarían anuladas por el peso de lo esencial, tan sencillo y definitivo: Paco Roca ha hecho un libro a partir de los sentimientos generados por la muerte de su padre. ¿Puede haber dieciocho palabras que llamen con más seducción a leer *La casa*? Yo creo que no.

La muerte del padre es un tema mayor de la literatura; quienes en algún momento hemos asumido el reto de convertirlo en obra de creación lo sabemos bien. Por un lado todo es riesgo, pues el autor sólo puede guiarse por el instinto, a merced de las dudas racionales, que atacan desde todos los ángulos, pero a la vez el recorrido fluye extrañamente amparado, como si el padre muerto lo protegiera. Creo que en realidad es así: un libro como éste es el último paseo juntos de padre e hijo. El padre muerto camina junto al hijo que rememora y narra.

Me adentro de repente, casi sin darme cuenta, en los silencios de *La casa*. Se trata en realidad de una absorción; me abduce la primera página, una de esas secuencias mágicas que, muy de vez en cuando, acontecen con naturalidad prodigiosa, como si nadie las hubiese creado, como si siempre hubiesen estado ahí, formando parte del mundo: sin un diálogo, sin una palabra, se narra la muerte de un hombre del que inexplicablemente, pues nunca lo conocimos, sabemos que fue bueno y que alcanzó la serenidad, también que era el alma de esta casa que, en la última viñeta de la secuencia, está ya abandonada y sola, lista para tomar el sendero de su propia muerte. Nada compromete más a un autor que arrancar su obra con una secuencia memorable. El lector lo ha captado y exigirá que la fuerza no afloje y se encamine, además, hacia el cierre exacto del círculo perfecto.

La casa, llena de amor y verdad, lo consigue. Pero a la vez es cierto que cada lector vivirá de forma distinta su estancia en estas habitaciones donde habita y se muestra lo universal. Yo me he emocionado en la página asombrosa del contenedor de basura, que cuenta el pasado y el futuro de todos y cada uno de nosotros, aunque sólo lo comprendemos cuando el primer impacto emocional ha pasado; en la apacible comparecencia de los espectros del pasado, que evidentemente existen y perviven en otra casa, la de la memoria de lo que importa; en la hermosa sensación de que, transcurrido el libro, he conocido y quiero al hombre que muere en la primera página, al que nunca conocí y por tanto es difícil que pudiera querer.

A medida que envejezco siento que el único tema de la literatura –y probablemente de todo lo demás– es el paso del Tiempo.

Y *La casa,* que es el libro que un chico quiso dibujar para su padre muerto, es también el libro que ha permitido a Paco Roca dibujar el Tiempo que se va, o que se fue, o que se irá.

Fernando Marías

Premio Zona Cómic al mejor cómic nacional de 2015

Nominado a la mejor obra de autor español
en el Salón Internacional del Cómic de Barcelona 2016

Estrella 2016 al cómic más destacado del año por el diario *Le Parisien*

Paco Roca (Valencia, 1969) estudió en la Escuela de Arte y Superior de Diseño de Valencia. Aunque su trabajo se centra en los cómics, compagina su tiempo con la ilustración y las charlas y talleres.

En el terreno de los cómics, su obra se ha traducido en una docena de países. Entre su bibliografía destacan *El juego lúgubre* (2001); *El Faro* (2004); *Arrugas* (2007); *Las calles de arena* (2008); *El invierno del dibujante* (2010); la trilogía *Un hombre en pijama*, recopilación de las páginas aparecidas en el periódico *Las Provincias* y *El País Semanal* (*Memorias de un hombre en pijama* (2011), *Andanzas de un hombre en pijama* (2014) y *Confesiones de un hombre en pijama* (2017)); *Los surcos del azar* (2013); *La casa* (2015), *La encrucijada* (2017), colaboración con el músico José Manuel Casañ (Seguridad Social), *El tesoro del Cisne Negro* (2018) con guión de Guillermo Corral, *El Dibuixat* (2019), creado para las paredes del Instituto Valenciano de Arte Moderno (IVAM), y *Regreso al Edén* (2020), su última novela gráfica como autor completo.

Sus cómics han recibido premios dentro y fuera de España, como el Premio Nacional del Cómic 2008, el Goya al mejor guión adaptado por *Arrugas* en 2011, el Excellence Award de Japón, el Inkpot Award en la Comic-Con de San Diego en 2019 o el Eisner 2020 a la mejor obra extranjera.

Algunos de sus cómics han sido llevados al cine, como es el caso de *Arrugas* (Ignacio Ferreras, 2011) o *Memorias de un hombre en pijama*. Y otros están en proyecto, como *El tesoro del Cisne Negro,* dirigida por Alejandro Amenábar.

Como ilustrador, ha realizado carteles, portadas de libros, murales y campañas sociales para todo tipo de eventos, publicaciones o clientes, en especial organizaciones no gubernamentales.

Imparte charlas y talleres por todo el mundo y su obra ha sido expuesta en salas nacionales e internacionales.

"Como una rara avis del panorama patrio, Roca logra su enésima obra redonda. A pesar de su apariencia sencilla, de su espectro cercano, se dispone a hablar del paso del tiempo, como las obras más importantes de la literatura. De lágrima asegurada, el tebeo nacional del año".

Raúl Silvestre, *Zona Negativa*

"Un libro mágico sobre la sencillez y el adiós, con evidente carácter autobiográfico, en el que Paco Roca se confirma como un narrador sublime. Afortunadamente las cosas le pasan a quien sabe contarlas".

Javier Pérez de Albéniz, *El descodificador*

"La capacidad de Paco Roca para narrar y hacer emocionante lo cotidiano está ya fuera de toda duda. Lo habitual, la normalidad se convierten en manos del autor valenciano en toda una aventura".

John Tones, *Sabemos Digital*

"Conmovedor, sutil, puro dolor, vida y tiempo. Es la síntesis perfecta de *Arrugas, El invierno del dibujante* y *Los surcos del azar*. Lo mejor de cada cual".

Jorge Carrión

"Siempre inquieto, no se duerme en los laureles gráficos y nos ofrece una narración que, partiendo del formato apaisado, se detiene en los objetos, una rama de un árbol seco, la hojarasca acumulada, un contenedor repleto de basura, para ir sumergiéndonos en esta historia, esta última carta a ese padre que se ha ido, a los recuerdos de la infancia, momentos irrepetibles a los que muchos de los que hemos leído esta maravilla no nos son para nada ajenos".

José Luis Vidal, *Freek! Magazine*

"Emocionante, muy sutil, con muchos hallazgos gráficos y narrativos. Me ha puesto la piel de gallina".

Javier Mariscal

"La historia nace en un momento muy importante para mí. Ese en el que me convertí en padre y me quedé sin padre casi a la vez. Cuando sucede, te replanteas muchas cosas, y me apetecía contar una historia de un personaje que no es un héroe de guerra como en *Los surcos del azar*. Una persona que lo único que ha conseguido es ser padre de familia y como mucho prosperar como lo hizo mucha gente en la España de la posguerra. Una persona que viene de un origen humilde y llega a formar parte de la clase media que aspira a dejar algo a sus hijos que él no tuvo".

**Paco Roca en una entrevista de Kike Infame
para *Bilbao 24 horas***

TAMBIÉN DISPONIBLES ESTAS OTRAS OBRAS DE PACO ROCA

Confesiones de un hombre en pijama
2.ª edición
64 páginas. 12 euros
ISBN: 978-84-16880-23-2

La encrucijada
(Con José Manuel Casañ)
168 páginas. 25 euros
ISBN: 978-84-16880-40-9

Andanzas de un hombre en pijama
80 páginas. 15 euros
ISBN: 978-84-15685-69-2

Los surcos del azar
10.ª edición/3.ª ampliada
352 páginas. 25 euros
ISBN: 978-84-17575-19-9

El tesoro del Cisne Negro
(realizado junto a Guillermo Corral)
3.ª edición
224 páginas. 20 euros
ISBN: 978-84-16880-87-4

Regreso al Edén
2.ª edición
176 páginas. 18 euros
ISBN: 978-84-18215-20-9

El invierno del dibujante
6.ª edición
128 páginas. 16 euros
ISBN: 978-84-92769-81-0

Las calles de arena
6.ª edición
104 páginas. 15 euros
ISBN: 978-84-96815-91-9

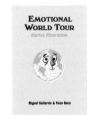

Emotional World Tour Diarios itinerantes
(realizado junto a Miguel Gallardo)
72 páginas. 14 euros
ISBN: 978-84-92769-04-9

Arrugas
16.ª edición
104 páginas. 15 euros
ISBN: 978-84-96815-39-1

El Faro
6.ª edición
64 páginas. 11 euros
ISBN: 978-84-92769-26-1

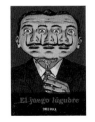

El juego lúgubre
2.ª edición
80 páginas. 13 euros
ISBN: 978-84-15163-58-9